Les Carnets

Cabane

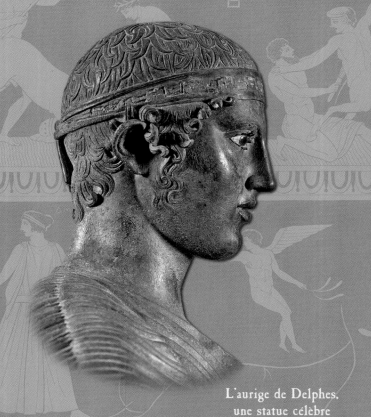

L'aurige de Delphes,
une statue célèbre

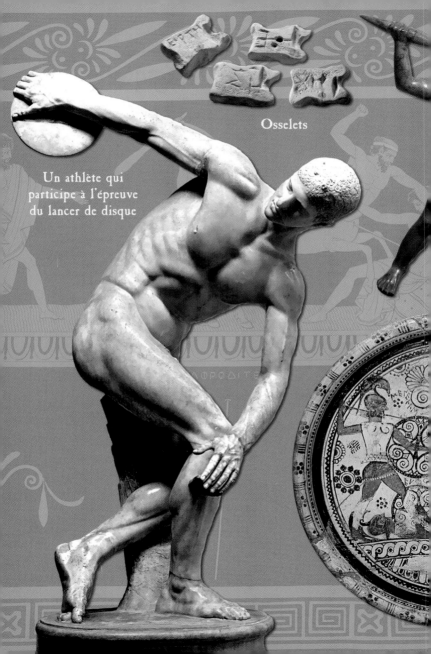

Osselets

Un athlète qui
participe à l'épreuve
du lancer de disque

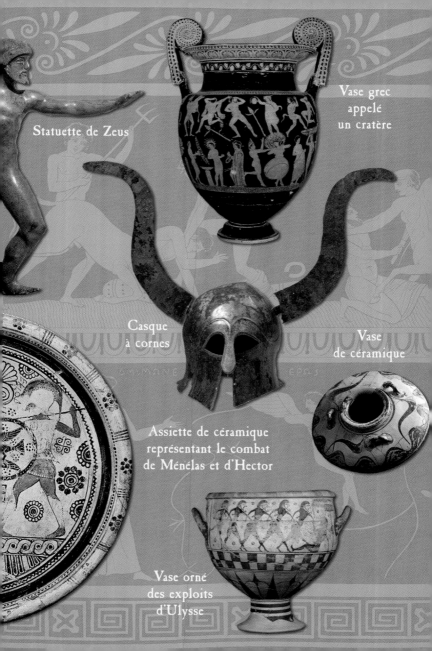

Statuette de Zeus

Vase grec appelé un cratère

Casque à cornes

Vase de céramique

Assiette de céramique représentant le combat de Ménélas et d'Hector

Vase orné des exploits d'Ulysse

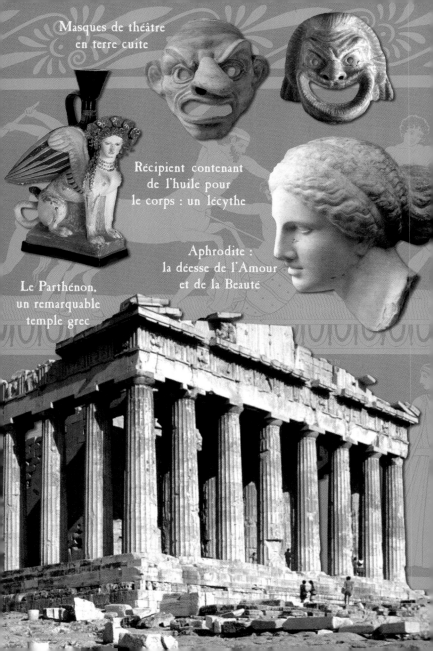

Masques de théâtre
en terre cuite

Récipient contenant
de l'huile pour
le corps : un lécythe

Aphrodite :
la déesse de l'Amour
et de la Beauté

Le Parthénon,
un remarquable
temple grec

À la découverte de la Grèce antique

L'éditeur remercie vivement Andrée Beynié, professeur
de lettres classiques, et Marc Beynié, conseiller scientifique,
journaliste à *Images Doc*, pour leur relecture scientifique.

Réalisation de la maquette : Isabelle Southgate.
Illustration de couverture et certaines illustrations intérieures :
Philippe De la Fuente.

Loi n° 49-956 du 16 juillet 1949
sur les publications destinées à la jeunesse.
Dépôt légal : janvier 2011 – ISBN : 978-2-7470-3441-8
Imprimé en Italie

À la découverte de la Grèce antique

Mary Pope Osborne
et Natalie Pope Boyce

Traduit de l'américain
par Éric Chevreau

Illustré par Sal Murdocca
et Philippe De la Fuente

bayard jeunesse

Cher lecteur,

Tu as aimé nos aventures dans « Course de chars à Olympie » ? Tu voudrais en apprendre davantage sur les Jeux olympiques et la vie des Grecs dans l'Antiquité ? Alors ce guide est fait pour toi !

Comme nous sommes très curieux, nous avons cherché à découvrir comment les hommes vivaient à cette époque. Nous avons feuilleté des livres à la bibliothèque, consulté des sites sur Internet, et visité un musée consacré entièrement à la Grèce antique (tu trouveras à la fin du guide la liste des documents et des sites que nous avons utilisés).

Nous avons voulu te faire profiter de nos recherches, illustrées de nombreux dessins et photos. Ainsi, tu seras incollable sur cette période captivante de l'histoire.

Prêt à faire un bond de plus de deux mille ans dans le temps ? Alors, viens faire la connaissance de cet étonnant peuple grec !

Tes amis passionnés d'histoire, Tom et Léa.

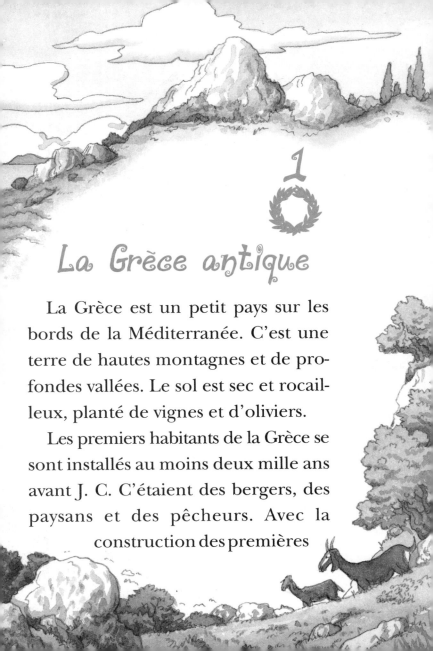

1

La Grèce antique

La Grèce est un petit pays sur les bords de la Méditerranée. C'est une terre de hautes montagnes et de profondes vallées. Le sol est sec et rocailleux, planté de vignes et d'oliviers.

Les premiers habitants de la Grèce se sont installés au moins deux mille ans avant J. C. C'étaient des bergers, des paysans et des pêcheurs. Avec la construction des premières cités, comme Mycènes, le pays s'est peu à peu développé.

Une civilisation a vu le jour, avec ses artistes, ses écrivains, ses bâtisseurs et ses penseurs. Vers 500 avant J. C., la culture grecque s'étendait tout autour de la Méditerranée et de la mer Noire.

Athènes

La Grèce antique était divisée en plus de trois cents cités-États (*polis*, « ville, cité » en grec), constituées d'une ville et de ses environs. La plus puissante de ces cités était Athènes. Elle était nommée ainsi en l'honneur d'Athéna, la déesse de la Sagesse.

Athènes jouait un rôle central dans le domaine des arts et de la connaissance. Ses habitants, les Athéniens,

Ruines datant
de l'Antiquité
à Athènes

ont construit des monuments magnifiques. Ils ont écrit des poésies et des
pièces de théâtre. Ils étudiaient aussi
les mathématiques et les sciences.

Athènes est l'un des premiers
exemples de démocratie dans le
monde : elle était gouvernée non par
un roi, mais par les Athéniens eux-
mêmes. Ceux-ci votaient pour élire
leurs représentants.

Plus de la moitié de la population d'Athènes était constituée d'esclaves.

Mais tous les habitants ne pouvaient pas voter. Pour cela, il fallait être citoyen, c'est-à-dire né à Athènes, et âgé d'au moins vingt ans. Les femmes et les esclaves n'avaient pas le droit de vote.

Conditions pour voter

Être un homme

Être citoyen ou ne pas être un esclave

Être âgé de vingt ans au moins

Sparte

Sparte était la grande rivale d'Athènes. Ces deux cités se faisaient souvent la guerre. Parfois aussi, elles s'unissaient pour lutter contre un autre pays comme la Perse.

Sparte n'était pas une démocratie. Elle était dirigée par deux rois. Les

Spartiates étaient un peuple de guerriers très courageux et passaient beaucoup de temps à s'entraîner au combat.

Ils ne partageaient pas l'amour des Athéniens pour les arts, et n'ont pas laissé de monuments marquants.

Casque porté par un guerrier grec autour de 600 av. J. C.

Les soldats grecs combattaient parfois à dos d'éléphant.

Bien que différents, les Spartiates et les Athéniens avaient beaucoup en commun. Ils parlaient la même langue, le grec. Ils adoraient les mêmes dieux. Ils avaient presque les mêmes coutumes. Surtout, ils étaient fiers d'être grecs !

Carte de la Grèce antique

Athènes

Sparte

Mer Ionienne

Mer Méditerranée

Le jour, les marins longeaient les côtes pour ne pas perdre la terre de vue. La nuit, ils se repéraient grâce aux étoiles. Les bateaux transportaient de l'huile d'olive, du vin, des céréales. Les Grecs échangeaient ces marchandises contre du bois, du métal et des esclaves.

La plupart des cités grecques étaient situées sur la côte méditerranéenne. Il existait peu de routes et le paysage était montagneux. Il était donc plus facile de se déplacer sur la mer, en bateau, que sur terre.

Mer Égée

Empire perse

Rhodes

Crète

Les Grecs naviguaient autour de la Méditerranée à bord de petits bateaux en bois, avec le plus souvent une seule voile. Certains bateaux avaient des rames.

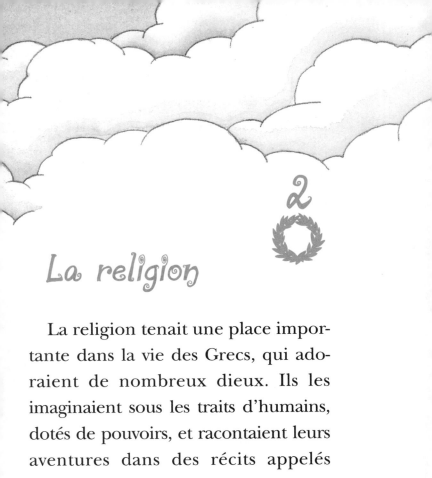

La religion

La religion tenait une place importante dans la vie des Grecs, qui adoraient de nombreux dieux. Ils les imaginaient sous les traits d'humains, dotés de pouvoirs, et racontaient leurs aventures dans des récits appelés « mythes ».

Les Grecs croyaient en l'existence de douze dieux principaux vivant au sommet du mont Olympe, la plus haute montagne de Grèce. Selon eux, ils y menaient une vie heureuse, passant leurs journées à se reposer et à manger la nourriture divine, l'ambroisie.

Croyances

Douze dieux principaux
Vivent la belle vie sur le mont Olympe
Mangent de l'ambroisie et boivent du nectar

Lorsque les dieux étaient en colère, les Grecs croyaient qu'ils les avaient offensés. Pour les apaiser, ils priaient et leur offraient des cadeaux, sacrifiaient des animaux. De nombreuses familles possédaient leur propre autel, afin de rendre hommage à leurs dieux préférés.

Temple
d'Héphaïstos
à Athènes

Les temples

Les Grecs construisaient également des temples en l'honneur des dieux. C'étaient très souvent les plus grands et les plus beaux édifices des cités. À l'intérieur trônait une statue du dieu, parfois haute de douze mètres (la hauteur d'une maison de quatre étages !). Certaines statues étaient recouvertes d'or et d'ivoire comme celles dressées à Athènes.

Statue d'Athéna

Les fêtes

Parfois, les hommes et les femmes participaient à des fêtes séparément.

Les fêtes étaient organisées en l'honneur des dieux. C'était un grand évènement ! Pour y assister, certains Grecs venaient de très loin, chargés de nourriture, d'animaux et d'autres offrandes pour les dieux.

Les offrandes, comme la laine ou les fruits, étaient le plus souvent transportées dans des paniers ou suspendus à des branches portées à l'épaule.

Une fois arrivé au temple, on commençait par laver la statue. Puis on l'habillait de vêtements neufs.

Au programme des festivités, il y avait souvent des évènements sportifs. On dansait aussi, et on jouait de la musique. Les Grecs pensaient que toutes ces activités plaisaient aux dieux.

Tourne la page pour rencontrer quelques-uns de nos dieux préférés.

Zeus

C'était le chef des dieux. Il régnait sur le ciel et commandait aux nuages et à la pluie. Les Grecs croyaient que lorsque les feuilles de chêne frémissaient dans le vent, c'était Zeus qui parlait. Mieux valait ne pas le mettre en colère ! Sinon il tonnait et lançait des éclairs en direction de la terre. Il a condamné Atlas, l'un de ses ennemis, à supporter le poids du monde sur ses épaules pour l'éternité. Quand il était content, il savait récompenser ceux qui l'avaient satisfait.

Zeus était marié à la déesse Héra, mais il était infidèle. Il tombait sans arrêt amoureux d'autres femmes.

Aujourd'hui le mot « atlas » désigne un recueil de cartes du monde.

Héra

Déesse du mariage et des femmes mariées, elle était très jalouse des conquêtes amoureuses de son mari. Héra et Zeus se disputaient souvent, et ils faisaient trembler le ciel.

Héra ne pardonnait pas facilement !
Elle passait son temps à se venger
des maîtresses de son mari. Un jour,
partie à la recherche de Zeus qu'elle
soupçonnait d'être avec l'une d'elles,
elle fut distraite par une belle jeune
fille très bavarde, nommée Écho.
Héra étant retenue par Écho, la
maîtresse de Zeus en profita pour
s'enfuir. Héra fut très en colère. Elle
punit Écho en lui interdisant à jamais
de parler. Elle ne pouvait que répéter
le dernier mot qu'elle entendait.

Le mot
« écho »
provient
de ce
mythe !

Poséidon

Frère de Zeus, Poséidon régnait sur les mers. Il habitait un palais au fond de l'eau. Lorsqu'il était en colère, il frappait les flots de son trident. Cela

provoquait de terribles tempêtes et des naufrages.

Selon un mythe, Poséidon fut furieux de voir un jour les Grecs perdre une guerre. Il envoya un énorme orage sur l'océan. Et tous les navires des soldats grecs qui rentraient chez eux coulèrent. Voilà pourquoi les marins n'oubliaient jamais de remercier Poséidon quand la mer était calme.

Un trident est une lance à trois pointes.

Aphrodite

C'était la déesse de l'Amour et de la Beauté. La légende raconte qu'elle est née de l'écume de la mer.

« Aphros » signifie « écume » en grec.

Personne ne pouvait résister à son charme. Les fleurs se redressaient lorsqu'elle se promenait dans les champs, et les vagues riaient en la voyant. On la représente toujours avec un visage souriant.

Mais elle créait aussi beaucoup de problèmes parmi les dieux, qui tombaient amoureux d'elle alors qu'ils n'auraient pas dû… Elle était mariée au plus laid de tous les dieux, Héphaïstos.

Son oiseau fétiche était la colombe, et son arbre préféré le myrte.

Athéna

C'était la fille de Zeus, et l'un de ses enfants préférés. Il lui laissait même porter son bouclier. Elle était la déesse de la Sagesse et des Arts, mais aussi de la Guerre. Sa mission principale était de protéger Athènes, la ville qu'elle reçut en partage.

La légende fait naître Athéna, vêtue de son armure, du crâne de son père.

Selon la légende, Poséidon aurait bien voulu lui aussi posséder cette cité. Furieux de ne pas l'avoir, il déchaîna une immense inondation. Mais Athéna refusa de la lui céder.

On raconte aussi que c'est elle qui dressa les premiers chevaux.

Son oiseau fétiche est la
chouette, et son
arbre l'olivier.

Apollon

Ce fils de Zeus à la chevelure dorée était le dieu de la Beauté, du Soleil, de la Guérison, de la Musique et de la Poésie.

Apollon, souvent représenté avec un arc d'argent, conduisait le char du Soleil à travers le ciel. Il chantait pour les dieux et faisait résonner sa lyre en or.

Ses animaux préférés sont le dauphin, le loup, le cygne et le corbeau, et son arbre le laurier.

Une lyre est un instrument à cordes qui ressemble à une harpe miniature.

La vie quotidienne en Grèce antique

Les cités grecques étaient souvent protégées par des places fortes entourées de remparts. À Athènes, la citadelle qui défendait la cité s'appelait « l'Acropole ». Perchée au sommet d'une colline,

« Agora » vient d'un mot grec qui signifie « lieu où se rassembler ».

elle dominait la ville. Les Athéniens ne vivaient pas dans l'Acropole. Ils habitaient des maisons ou des logis dans la ville basse.

L'activité quotidienne des habitants se déroulait principalement sur la place publique, l'agora. Ce grand marché à ciel ouvert était encombré d'étals vendant nourriture, artisanat et objets pour la maison. À Athènes, les hommes s'y donnaient rendez-vous

Les gens venaient de partout vendre leurs produits sur l'agora.

pour échanger les nouvelles du jour. Autour de l'agora, on trouvait aussi les bâtiments publics, les temples et les maisons d'habitation.

Les maisons

Les habitations étaient en pierre, en argile et en bois, les toits recouverts de tuiles ou de roseaux. À l'intérieur, il y avait peu de pièces. Les sols étaient en pierre ou en terre. Le mobilier

Les canapés étaient utilisés aussi bien pour s'asseoir que pour dormir.

était simple : des chaises, des tables et des canapés en bois, des paniers ou des coffres pour le rangement. La maison était bâtie autour d'une

Les Grecs cuisinaient dans des marmites d'argile posées sur trois pieds pour un meilleur équilibre.

Balcon

Cour

Pièce des femmes

Pièce des hommes

Portail

cour à ciel ouvert. Par beau temps, la famille s'y rassemblait pour se détendre. Parfois, elle y prenait aussi ses repas. Au menu : pain, huile d'olive, fromage de chèvre, bouillie de céréales, figues, raisins et miel.

Toit de tuiles

Chambre à coucher

Cuisine

Les femmes passaient presque tout leur temps dans la maison. Quand elles devaient sortir, une esclave les accompagnait.

L'habillement et la toilette

Le vêtement grec, très simple, consistait en un carré d'étoffe appelé tunique. Celle des hommes, le « chiton », s'arrêtait au niveau du genou. Les femmes portaient une tunique plus longue : le « péplos ».

Quand elles faisaient des activités physiques, les filles et les femmes raccourcissaient leur péplos à l'aide d'une ceinture.

Femme portant le péplos

Hommes et femmes parfumaient leurs cheveux avec des huiles aromatiques.

Les Grecs marchaient souvent pieds nus. Sinon, ils chaussaient des sandales, des pantoufles ou des bottes.

Habille-toi comme les Anciens !

1. Prends un vieux drap.
2. Plie-le en deux.
3. Enveloppe-toi dedans.
4. Attache-le aux épaules à l'aide d'une épingle à nourrice.
5. Noue une ceinture à la taille.
6. Fais attention à ne pas te prendre les pieds dans ta tunique !

Au secours, le plomb, c'est un poison !

Les femmes riches portaient des bijoux et elles se maquillaient. Parfois, elles se saupoudraient le visage de poudre de plomb pour paraître plus pâles.

Les hommes se rendaient souvent chez le coiffeur, pour se faire couper les cheveux, et surtout pour y rencontrer leurs amis ! Comme l'écrit un Grec à cette époque : « Aller chez le coiffeur, c'est la fête, mais sans vin… »

Cette peinture montre une femme en train de s'admirer dans un miroir en bronze poli.

L'éducation

Seuls les garçons allaient à l'école. Ils y entraient à l'âge de sept ans. Ils apprenaient à lire et à écrire, étudiaient la poésie et la musique. Ils faisaient aussi du sport. C'était une activité très importante pour les Grecs, qui croyaient en « un esprit sain dans un corps sain ».

Les esclaves accompagnaient parfois les enfants de leurs maîtres pour s'assurer qu'ils se comportaient bien !

Les filles, elles, restaient à la maison où elles apprenaient à s'occuper d'un foyer. Leur mère leur enseignait à filer, tisser, coudre et cuisiner. Dans les familles riches, les filles pouvaient apprendre à domicile à lire et à écrire.

Les deux femmes représentées ici préparent la laine pour fabriquer l'étoffe.

À Sparte, les garçons fréquentaient l'école militaire dès leurs sept ans. Ils s'y entraînaient à devenir de bons soldats. Les filles avaient plus de liberté qu'à Athènes. Elles n'allaient pas à l'école, mais pratiquaient tout de même le sport, le chant et la danse. Leur principale tâche, une fois devenues grandes, était de donner de futurs petits mâles à Sparte !

À la naissance des garçons, on suspend une couronne d'olivier au-dessus de la porte.

Le mariage

Les filles avaient peu l'occasion de rencontrer des garçons en dehors de la famille. Lorsque des visiteurs hommes se présentaient, elles devaient aller dans une pièce séparée.

Les Athéniennes se mariaient jeunes, en général vers l'âge de quinze ans ! Les pères choisissaient les maris, sou-

Artémis était la déesse de la Chasse ainsi que la protectrice des jeunes enfants.

vent âgés de trente ans et plus. Avant le mariage, les filles déposaient leurs jouets aux pieds de la déesse Artémis, pour marquer la fin de l'enfance.

Les loisirs

Les enfants aimaient les jeux de plateaux, qui ressemblaient beaucoup à nos jeux de dames et d'échecs.

Ces deux femmes jouent à un jeu populaire : les osselets.

Les petits Athéniens s'amusaient également avec des cerceaux et des poupées, ainsi qu'avec des animaux en argile ou en bois.

Ils élevaient aussi des animaux familiers : oiseaux, chiens, souris, tortues ou chèvres.

Les Grecs adoraient les fêtes, la musique et la danse. Il y avait des danses pour honorer les dieux, pour les mariages et les funérailles. On dansait aussi pour célébrer les moissons ou la victoire lors d'une bataille.

Les bergers jouaient même de la musique à leur troupeau.

Le mot
« gymnase »
vient d'un mot
grec signifiant
« nu » !

Les garçons et les hommes passaient une partie de la journée au gymnase. C'était une sorte de parc consacré à l'exercice physique et au sport.

Le soir, on organisait des fêtes appelées *symposia*, réservées exclusivement aux hommes. Les filles et les femmes n'étaient pas admises, à l'exception des esclaves. Celles-ci accueillaient les invités à la porte et leur lavaient les pieds.

Les hommes passaient la soirée à boire du vin, manger et discuter. On récitait de la poésie et on chantait.

Les Grecs anciens menaient une vie très occupée. Ils aimaient profiter de leur famille et des amis. Ils prenaient aussi soin de leur corps en faisant du sport. Et surtout, ils plaçaient au centre de leur vie la connaissance et l'amour des belles choses.

À ces fêtes, les invités s'allongeaient sur des canapés. Parfois, ils mettaient des fleurs dans leurs cheveux.

L'olivier

Cet arbre se plaît beaucoup dans les sols secs et rocailleux de la Grèce. Selon les Anciens, la déesse Athéna avait offert à Athènes son premier olivier. Au fil des années, il est devenu sacré dans le pays.

C'est un arbre très robuste, qui résiste aussi bien aux vents violents qu'à la sécheresse. Les Grecs en ont fait un symbole de force et de paix. Dans certaines cités-États, couper un olivier était un crime !

Certains oliviers peuvent vivre jusqu'à deux mille ans !

Un poète grec a qualifié un jour l'huile d'olive « d'or liquide ».

Les Grecs utilisaient l'huile d'olive pour se nettoyer et entretenir leur chevelure.

49

4

La culture de la Grèce antique

La Grèce antique est célèbre pour la richesse de sa culture. Elle a donné naissance à de nombreux penseurs, écrivains, artistes et architectes, mais aussi à des scientifiques et des médecins. Aujourd'hui encore, on s'inspire de leurs idées et de leurs travaux.

La culture, c'est la façon de penser, de vivre et de créer d'un peuple.

La philosophie

Les philosophes étaient des penseurs qui vouaient leur vie à la recherche de la sagesse et de la connaissance. C'étaient souvent des professeurs.

Socrate fut l'un des plus grands philosophes. Il enseignait dans la rue aux gens la meilleure façon de vivre leur vie. Il disait que l'argent ne suffisait pas à faire le bonheur, et que pour être heureux, il fallait être bon.

Il n'a laissé aucun texte. Heureusement un de ses disciples, Platon, a reproduit par écrit ses idées. Plus tard, devenu à son tour un grand philosophe, il fonda une école appelée « l'Académie ».

« Philosophe » signifie en grec « qui aime la sagesse ».

Science et médecine

Les Grecs ont beaucoup étudié les sciences. Pour eux, seuls les faits permettaient d'expliquer les mystères de la nature. Ils observaient les mouvements des marées et des étoiles. Ils pouvaient même prédire les éclipses. Certains supposaient déjà que la Terre était ronde, et non plate.

À l'époque, presque tout le monde pensait que la Terre était plate et au centre de l'univers, ce qui est faux !

Les scientifiques étudiaient aussi le corps humain et son fonctionnement. Hippocrate a écrit un serment devenu célèbre, selon lequel tout médecin

Un serment est une promesse solennelle.

Hippocrate, médecin

La médecine grecque était fondée sur l'utilisation des plantes.

grec devait s'engager à ne jamais causer de mal.

Aujourd'hui encore, les médecins doivent jurer de respecter le serment d'Hippocrate.

L'architecture

Les architectes grecs ont bâti des monuments incroyables. Le Parthénon, au sommet de l'Acropole, est

Le Parthénon à Athènes

le plus remarquable d'entre eux. Il s'agit d'un temple dédié à la déesse Athéna.

Le Lincoln Memorial à Washington, D. C.

Si tu crois connaître un bâtiment qui ressemble au Parthénon, bien vu !

Si tu penses qu'il se trouve à Washington, bien vu encore !

Le théâtre

Les auteurs grecs ont écrit quelques-unes des meilleures pièces dramatiques de tous les temps. Le théâtre était un divertissement populaire. Les Grecs allaient d'ordinaire voir les pièces pendant les fêtes. Et la concurrence était rude entre les écrivains pour faire jouer leur pièce.

Théâtre d'Épidaure

Les Grecs ont bâti des théâtres de plein air : les amphithéâtres. Ils étaient construits en demi-cercle et à flanc de colline. Ainsi, les gradins s'élevaient le long de la pente et tous les spectateurs avaient vue sur la scène.

Les comédiens étaient toujours des hommes qui jouaient avec un masque. À l'avant de la scène, il y avait un groupe de figurants, « le chœur ». Il était chargé de chanter et d'expliquer la pièce aux spectateurs.

Tous les acteurs portaient des masques.

Masque grec

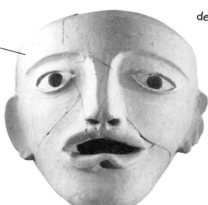

Certains théâtres pouvaient accueillir jusqu'à quatorze mille spectateurs !

Homère

La poésie

Les Grecs aimaient beaucoup réciter de la poésie. Homère était le poète le plus connu. Il y a deux mille sept cents ans, il récitait de mémoire deux longs poèmes devenus célèbres : *l'Iliade* et *l'Odyssée*. Le premier traite de la guerre entre les Grecs et les Troyens. Le second raconte les aventures d'Ulysse, un héros de la guerre de Troie qui met dix ans à rentrer chez lui.

On pense qu'Homère était aveugle.

Les arts

Les Grecs étaient des artistes et des artisans très doués. À Athènes, on trouvait des ateliers de sculpteurs dans toute la ville. Ils créaient de magnifiques statues, en bronze et en marbre.

Les potiers, eux, décoraient leurs pots et leurs vases de scènes héroïques ou de la vie quotidienne.

Les Grecs nous ont laissé une culture très riche. Leurs écrits et leurs pièces sont toujours appréciés de nos jours. Nous étudions les œuvres de leurs philosophes. Nous admirons leur art, leur architecture. Autant de cadeaux offerts par les Anciens au monde moderne.

Tourne la page pour apprendre à parler grec !

Parle grec !

Français

Ancre
Bible
Climat
Démocratie
Drame
Héros
Musée
Olympique
École
Théâtre
Zone

De nombreux mots français viennent du grec ancien. En fait, le mot « alphabet » est composé des deux premières lettres de l'alphabet grec : « alpha » et « bêta »…

Et tu connais probablement plus de mots grecs que tu ne le penses !

Grec

Agkura
Biblia
Klima
Dêmokratia
Drama
Hêrôs
Mouseion
Olumpikos
Skholê
Theatron
Zônê

Les premiers athlètes olympiques portaient des tuniques. Après, ils ont commencé à courir tout nus ! Berk !

5

Les premiers Jeux olympiques

Les Grecs pensaient que l'exercice et la pratique des sports étaient agréables aux dieux. Ils organisaient donc tous les quatre ans des rencontres sportives pour leur plaire. Les premières Olympiades étaient une fête en l'honneur de Zeus.

Les premiers jeux se sont tenus en 776 avant J. C., dans la cité d'Olympie dans la région de l'Élide. Il n'existait alors qu'une seule épreuve : la course à pied, appelée *dromos*. Au cours des années suivantes, d'autres épreuves furent ajoutées. Les Jeux olympiques devinrent la fête la plus populaire de Grèce. On accourait de partout pour y assister.

Les messagers

Les Olympiades se déroulaient tous les quatre ans et duraient cinq jours. Elles avaient toujours lieu l'été, durant les mois les plus chauds. À l'approche de l'évènement, des messagers quittaient l'Élide pour parcourir la Grèce et annoncer à tous la date d'ouverture des Jeux.

Qui pouvait participer ?

Seuls les citoyens grecs n'ayant jamais commis de crime étaient autorisés à concourir. Les femmes et les esclaves ne pouvaient même pas y assister.

« Athlète » provient d'un mot grec qui signifie « combat ».

Chaque cité élisait ses meilleurs athlètes pour les envoyer aux Jeux. Ils venaient donc des quatre coins de la Grèce. Certains étaient de simples bergers ou pêcheurs, d'autres de puissants généraux d'armée ou de riches hommes d'affaires. Tous égaux aux Jeux, grâce à leurs talents sportifs.

Les premiers Jeux olympiques

Ont lieu à Olympie

Fête en hommage à Zeus

Les participants : les citoyens grecs

Pas de criminels

Pas de femmes ni d'esclaves

Kallipateira

Cette femme fut la seule à enfreindre les règles. Son père et son frère étaient tous deux d'anciens vainqueurs des Olympiades. À la mort de son mari, elle décida d'entraîner son fils pour les Jeux. Afin de le voir concourir, elle se déguisa en homme et pénétra tête haute dans le stade. Mais lorsque

son fils remporta une victoire, elle commit l'erreur de vouloir le féliciter. Sautant une barrière, elle s'empêtra dans ses vêtements, qui se défirent. Il devint alors évident qu'elle n'était pas un homme ! Elle eut de la chance ! Parce que sa famille était célèbre et glorieuse, elle ne fut pas punie.

La trêve olympique

Les guerres étaient très courantes en Grèce. Les différentes cités passaient leur temps à se battre, entre elles et contre d'autres peuples. Durant les Jeux olympiques, il était interdit de s'affronter. Une trêve, c'est-à-dire l'arrêt de tout combat, était déclarée.

Voici les règles de la trêve olympique :

1. Toute guerre doit cesser pour une durée de trois mois pendant l'entraînement et la durée des Jeux.

2. Soldats et hommes armés doivent déposer leurs armes à l'entrée du stade.

3. La peine de mort est interdite durant les Olympiades.

4. Les athlètes doivent pouvoir passer en toute sécurité d'une cité-État à l'autre pour se rendre aux Jeux.

L'entraînement

Les sportifs commençaient à s'entraîner chez eux neuf mois avant le début des Jeux. Ils prenaient un entraîneur personnel. À l'aide d'un long bâton, celui-ci pointait les muscles

Ce vase grec représente un entraîneur maniant son bâton.

à développer selon le type d'exercices. Parfois, l'entraîneur faisait jouer de la flûte à son élève. On pensait que s'entraîner au son de la flûte lui donnait le sens du rythme et la grâce.

À l'approche de la date d'ouverture des Jeux, les athlètes et leurs entraîneurs entamaient un long voyage vers Olympie. Ils se déplaçaient à pied, à cheval ou par bateau.

L'arrivée à Élis

Élis était une ville située dans la région de l'Élide.

Une fois atteint le terme de leur voyage, les athlètes entraient dans la cité d'Élis, près d'Olympie. Là, ils passaient encore un mois à s'entraîner avant le début des Jeux.

À leur arrivée, les sportifs étaient accueillis par dix hommes : les juges olympiques. Ceux-ci portaient de grandes toges pourpres et avaient des couronnes de lauriers. Ils s'assuraient que les athlètes suivaient bien les règles du jeu. Ils les répartissaient en plusieurs groupes selon leur âge. Puis les athlètes devaient désherber et sabler la piste avant de pouvoir s'entraîner !

En cas de triche, le fautif était puni, soumis à une amende ou battu.

Deux jours avant l'ouverture des Jeux, athlètes, entraîneurs et juges formaient une longue procession pour rejoindre Olympie.

Tourne la page pour assister à l'entraînement des sportifs.

Par ici

Entraîne-toi comme les Grecs !

1. Demande à quelqu'un de jouer de la flûte pendant que tu fais tes exercices.

2. Tu peux t'entraîner au gymnase ou dans un champ. Mais attention aux chèvres et aux vaches !

3. Si tu as besoin d'énergie rapidement, mange des raisins, des figues, du miel ou du fromage de chèvre.

4. Aie l'esprit sportif : l'important est de participer.

Le village olympique

Aux portes d'Olympie, des milliers de spectateurs venus de toute la Grèce s'alignaient pour acclamer les athlètes.

Le village olympique était encombré de tentes. La plupart des athlètes et des visiteurs dormaient dans de petites tentes. Les plus riches faisaient monter d'immenses chapiteaux. À l'intérieur, ils organisaient des dîners et des fêtes pour leurs visiteurs.

Cinquante mille personnes assistaient aux Olympiades.

Platon avait soixante-dix ans lorsqu'il se rendit aux Jeux pour la première fois !

On y retrouvait de vieux amis. On flânait entre les étals de nourriture. On écoutait de la musique, on dansait. On se pressait autour des philosophes et des poètes. Bref, il y en avait pour tous les goûts.

L'Altis

L'Altis était l'un des lieux les plus importants d'Olympie. C'était un bois d'oliviers en plein cœur du village olympique. C'est là que se trouvaient les temples de Zeus et d'Héra, ainsi que de nombreux autels. On y venait

« Altis » signifie « bois sacré » en grec.

pour prier et offrir aux dieux des sacrifices.

La troisième nuit des Olympiades était toujours une nuit de pleine lune. Cette nuit-là, on se rendait en procession au temple de Zeus pour lui rendre hommage. À cette occasion, on sacrifiait jusqu'à cent bœufs, afin de plaire au chef des dieux !

Tourne la page pour découvrir la fabuleuse statue de Zeus.

La statue de Zeus

Des foules immenses profitaient des
Olympiades pour visiter le temple de

Zeus et admirer sa magnifique statue.

Cette représentation du chef des dieux sur son trône était l'œuvre du sculpteur Phidias. Un témoin de l'époque a écrit que si la statue pouvait se tenir debout, sa tête crèverait le plafond du temple. La sculpture était recouverte d'ivoire et d'or.

Cette statue faisait l'admiration des adorateurs de Zeus ! Elle était d'ailleurs l'une des Sept Merveilles du monde !

Hélas, les guerres et des tremblements de terre ont fini par détruire ce chef-d'œuvre. Aujourd'hui, il ne reste plus du temple que quelques ruines.

Ruines de l'atelier de Phidias

Que les Jeux commencent !

Lors de la cérémonie d'ouverture des Jeux, athlètes et juges devaient prêter serment devant la statue de Zeus. Les sportifs juraient de s'être entraînés pendant dix mois et promettaient de respecter les règles. Les juges, eux, s'engageaient à appliquer la justice.

Puis des concours étaient organisés pour élire les meilleurs hérauts et sonneurs de trompe. Les hérauts étaient chargés de proclamer la victoire des vainqueurs. Les sonneurs de trompe annonçaient le début des épreuves.

Les coureurs plaçaient leurs pieds dans des cales en bois pour éviter de glisser ou de partir avant les autres.

Une loi interdisait aux coureurs... de jeter des mauvais sorts.

La course à pied

Au son des trompettes, les coureurs s'alignaient sur la ligne de départ. Gare à celui qui s'élançait avant les autres : il était battu ou expulsé des Jeux !

Il existait plusieurs catégories de courses : le stade (un tour de piste), le *diaulos* (deux tours) et, la plus longue, le *dolichos* (sept à vingt-quatre tours !)

La course la plus éprouvante était celle qui se courait en armure. Les participants portaient un casque en bronze, et un bouclier en bois ou en bronze. Les coureurs étaient gauches et drôles. Ils amusaient beaucoup le public !

Le javelot

Le javelot était utilisé pour la chasse et la guerre. C'était une lance en bois au bout pointu, haute comme un homme. Le lanceur la tenait par un lien en cuir noué autour du manche. Lors du lancer, le lien se défaisait facilement, et le javelot volait droit. Le gagnant était celui qui le lançait le plus loin.

Le disque

Le disque était de forme ronde et aplatie. Il était en plomb, en fer, en bronze ou même en marbre, et pesait environ 2,5 kg.

Les athlètes prenaient le disque d'une main, puis le lançaient aussi loin que possible. Les juges mesuraient les distances atteintes.

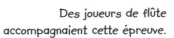

Des joueurs de flûte
accompagnaient cette épreuve.

Le saut

L'épreuve du saut s'inspirait d'un exercice d'entraînement militaire. Aux Jeux olympiques, elle se déroulait dans un bac à sable. Les concurrents saisissaient un poids dans chaque main. Ils balançaient leurs bras d'avant en arrière, puis sautaient à pieds joints.

La lutte

C'est un combat au corps à corps. Les sportifs luttaient dans le sable. Il fallait jeter l'adversaire au sol sans tomber. Pour marquer un point, il suffisait de faire toucher à son adversaire le sol des épaules, du dos, de la poitrine ou de l'estomac. Si le lutteur chutait trois fois, le match était fini.

Les lutteurs n'avaient pas le droit de mordre !

Les lutteurs s'enduisaient le corps d'huile. Ainsi le sable se collait à l'endroit précis où ils touchaient le sol, facilitant le travail des juges.

Aryballe

Strigiles

Les athlètes remplissaient d'huile un récipient appelé « aryballe ». Après le combat, ils raclaient l'excédent d'huile à l'aide d'un ustensile appelé « strigile ».

Le pentathlon

« Penta » veut dire « cinq » en grec.

Le pentathlon comportait cinq épreuves : le disque, le javelot, le saut en longueur, la course et la lutte. Les athlètes devaient être doués pour chacune de ces disciplines.

La boxe

La boxe était un sport très populaire. La règle était de ne pas donner de coup en dessous de la ceinture, mais de viser la tête. Les bons boxeurs essayaient d'amener leur adversaire

Attention, n'essaie pas de boxer comme les Grecs !

Ces boxeurs sont en train de nouer leurs gants faits de multiples bandelettes de cuir.

face au soleil. Ce dernier se trouvait ainsi aveuglé par la lumière.

Le pancrace

Le pancrace était un sport brutal. Son nom vient d'un mot grec qui signifie « tous les pouvoirs ».

C'était un mélange de boxe et de lutte, avec peu de règles. Les adversaires pouvaient se tirer les cheveux, se donner des coups de pied ou de poing et même s'étrangler ! Le match était terminé lorsque l'un des deux adversaires était trop fatigué ou blessé pour continuer. Il arrivait qu'un concurrent meure pendant le combat !

Les athlètes se rasaient parfois la tête pour priver leur adversaire d'une prise.

La course de chevaux

Il y avait aussi des courses de chevaux. Les foules se pressaient à l'hippodrome

Les cavaliers montaient à cru, c'est-à-dire sans selle ni étriers.

(du grec *hippos* : le « cheval ») pour y assister. Il existait différents types de course. Les concurrents pouvaient monter un animal ou bien conduire un char en bois. Celui-ci était tiré par un attelage de deux ou quatre chevaux ou mules. Diriger un attelage n'était

pas sans danger : de nombreux conduc-
teurs tombaient de leurs chars, et peu
d'entre eux finissaient la course.

Le gagnant n'était pas le cavalier ou
le pilote de char, mais le propriétaire
du cheval. Ce dernier pouvait être
une femme. La course de chevaux
était donc la seule épreuve olympique
qui pouvait être remportée par une
femme !

Il pouvait y
avoir jusqu'à
quarante
concurrents
sur la ligne
de départ.

Les filles étaient autorisées à participer à des festivités qui leur étaient réservées. Ces rencontres, dédiées à la déesse Héra, se déroulaient après celles des hommes. Les participantes s'affrontaient à la course, sur des distances un peu plus courtes que celles des hommes.

La cérémonie de clôture

Les gagnants étaient annoncés à l'issue de chaque épreuve. Mais ils ne recevaient leur prix qu'une fois les Jeux terminés. Ce jour-là, la foule se pressait dans le stade. L'excitation était à son comble. Les athlètes faisaient alors leur entrée, décorés de rubans pourpres.

Au son des trompettes, les hérauts annonçaient ensuite les noms des vainqueurs et de leurs villes. Les juges remettaient aux champions des couronnes d'olivier et une palme. Elles avaient été tressées avec les feuilles d'un arbre qui poussait près du temple de Zeus. Cette nuit-là, on donnait des banquets pour célébrer la fin des Jeux olympiques. Et le lendemain, chacun commençait le long voyage de retour.

La légende raconte que c'est Zeus lui-même qui avait planté cet arbre.

Les lauréats étaient accueillis en héros dans leur village, car ils apportaient avec eux la gloire et la renommée. On les couvrait de merveilleux cadeaux. Parfois, on érigeait sur l'agora une statue en leur honneur. Des poèmes étaient écrits pour chanter leurs louanges. Certains athlètes obtenaient même un travail ou étaient nourris gratuitement à vie.

Tourne la page pour faire la connaissance de deux célèbres champions olympiques grecs.

Milon de Crotone, lutteur

Son palmarès : six victoires olympiques ! Il était si fort qu'il pouvait plier un clou entre deux doigts. On dit même qu'il a un jour porté une vache sur ses épaules !

Hélas, Milon connut une fin tragique. Un jour, il vit deux coins en métal fichés dans un arbre. Voulant les retirer, il écarta le tronc, qui se referma sur ses mains. Prisonnier, il fut dévoré cette nuit-là par des bêtes sauvages !

Diagoras de Rhodes, boxeur

Les Grecs le considéraient comme le parfait athlète. Personne ne boxait avec tant de talent, de grâce et de courage.

Quand il fut vieux, il se rendit à Olympie pour voir ses deux fils concourir… et remporter la victoire. Ceux-ci prirent alors leur père sur leurs épaules et le portèrent en triomphe autour du stade. Diagoras, au terme d'une vie bien remplie, s'affaissa et mourut dans leurs bras.

Les Jeux olympiques aujourd'hui

Affaiblie par de nombreuses guerres, la Grèce a perdu peu à peu de son influence. D'autres nations ont envahi la région. Les Olympiades, de moins en moins populaires, ont cessé d'attirer les foules. En 393 après J. C., alors qu'elles existaient depuis près de mille cent soixante-dix ans, elles ont cessé d'être organisées.

Pourtant, l'esprit olympique a perduré jusqu'à nos jours. Mille cinq cents ans après les derniers Jeux antiques, un Français, le baron Pierre de Coubertin, décide d'organiser de nouvelles Olympiades. Il fonde le Comité international olympique. Les premiers Jeux de l'ère moderne ont lieu en 1896… à Athènes.

Aujourd'hui, les Jeux ne se tiennent plus seulement en Grèce, mais sont accueillis tous les quatre ans par un pays différent. Ils ne sont plus organisés en l'honneur des dieux, mais célèbrent toujours l'esprit sportif.

Les athlètes viennent des quatre coins du monde. Ce ne sont plus uniquement des hommes : les femmes y jouent un grand rôle. Le nombre de disciplines est beaucoup plus important. Il existe également des Jeux d'hiver, qui se déroulent eux aussi tous les quatre ans.

Au programme des Jeux olympiques d'hiver,
on trouve le patinage sur glace, le ski
et le snowboard.

Pourtant, certaines choses sont restées les mêmes. Les participants s'entraînent pendant des années. Ils jurent de respecter les règles. Et comme les Anciens, ils s'efforcent de faire de leur mieux et gardent un esprit sportif.

Saut en longueur moderne

Certaines épreuves ressemblent à celles des Olympiades antiques. Si les chars ont disparu, on organise toujours des courses de chevaux. La course à pied, le saut en longueur et le lancer de javelot et de disque sont encore pratiqués, ainsi que la boxe, la lutte, et même le pentathlon.

Les Jeux olympiques modernes constituent un spectacle extraordinaire, comme au temps des Grecs. Le philosophe Épictète, il y a deux mille ans, les décrivait ainsi : « Aux Jeux olympiques, on est plutôt incommodé. Le soleil vous brûle, la foule vous étouffe. Vous êtes trempé lorsqu'il pleut. Le vacarme est assourdissant. Et pourtant, pour rien au monde, on ne manquerait une épreuve. »

Pour en savoir plus

Il te reste encore beaucoup à apprendre sur cette période de l'histoire. Complète tes connaissances en explorant d'autres pistes.

Les livres

Les librairies et les bibliothèques regorgent d'ouvrages sur la Grèce antique. Suis ces quelques conseils :
1. Tu n'es pas obligé de lire le livre en entier. Consulte la table des matières ou l'index pour aller directement à ce qui t'intéresse.

2. N'oublie pas de noter le titre pour pouvoir le retrouver facilement.

3. Ne te contente pas de recopier mot pour mot. Il est plus utile de résumer ce que tu as appris avec tes propres mots si tu veux t'en souvenir.

4. Assure-toi qu'il s'agit bien d'un ouvrage documentaire. De nombreux livres racontent des histoires inventées qui se déroulent pendant cette période. Ce sont des récits de fiction. Ils sont agréables à lire, mais pas très utiles pour tes recherches. Les ouvrages documentaires contiennent des informations vraies. Si tu n'es pas sûr que ton livre en est bien un, demande à un bibliothécaire ou à ton professeur de t'aider.

Voici quelques livres intéressants
écrits récemment :
• *Encyclopédie Usborne de la Grèce antique,*
coll. « Mondes antiques »,
Jane Chisholm, Éditions Usborne, 2008.
• *La Grèce antique,* coll. « Les thématiques
de l'encyclopédi@ », Peter Chrisp,
Gallimard Jeunesse, 2006.
• *Jeux olympiques et sport en Grèce antique,*
coll. « Chercheurs d'art », Sophie
Padel-Imbaud, Éditions RMN, 2004.
• *Le monde grec,* coll. « Junior Histoire »,
Laurence Lhommedet, Claude Merle,
Autrement Jeunesse, 2001.
• *La mythologie grecque,* coll. « Les encyclopes »,
Hélène Montardre, Milan Jeunesse, 2008.
• *Les mondes antiques,* coll. « Images Doc »,
Catherine Loizeau, Éditions Bayard Jeunesse.

Si tu es bon lecteur, tu peux
te plonger dans ces « classiques » :
• *L'Iliade*, coll. « Classiques abrégés »,
Homère, L'École des loisirs, 1990.
• *L'Odyssée*, coll. « Classiques abrégés »,
Homère, L'École des loisirs, 1988.

Tu peux aussi lire les aventures
d'Alix en Grèce en BD :
• *Alix, les aventures grecques*,
Jacques Martin, Casterman, 2008.

Les films

Il existe des vidéos qui racontent la
vraie vie des hommes à cette époque.
En voici une :
• *Les trésors de la Grèce antique*,
Daniel Massé, Arcadès, 2003.

Internet

Il existe de nombreux sites sur cette période de l'histoire. Assure-toi qu'ils sont mis à jour régulièrement, c'est-à-dire qu'ils contiennent des informations revues et corrigées en fonction des recherches les plus récentes.

Voici les sites que Tom et Léa ont consultés. Demande à tes parents ou à ton professeur de t'aider à naviguer sur Internet.

• http://www.e-olympos.com
Pour tout savoir sur la civilisation de la Grèce antique !
• http://jfbradu.free.fr/
GRECEANTIQUE/index.php3
• http://mythojulie.free.fr/index.php
Tu peux y faire des jeux et des quiz pour tout savoir sur les dieux grecs.
• http://www.iliadeodyssee.com/

Tu peux y lire une adaptation de *l'Iliade* et de *l'Odyssée*.

• http://www.lexilogos.com/jeux_olympiques_origine.htm
Pour tout savoir sur les Jeux olympiques.

Les musées et les vestiges

De nombreux musées d'histoire présentent des expositions consacrées à l'Antiquité. Lorsque tu te rends dans un musée, n'oublie pas de :

1. Prendre un carnet. Note ce qui t'intéresse et dessine ce qui t'attire l'œil.

2. Poser des questions. Il y a toujours un membre du personnel du musée qui peut t'aider à t'orienter.

3. Consulter le calendrier des expositions temporaires ou des activités pour les enfants.

En France, tu peux visiter :

• **Le musée du Louvre**

36, rue du Louvre

75001 Paris

Renseignements au 01 40 20 50 50

http://www.louvre.fr/

• **Musée d'archéologie nationale**

Château – Place Charles-de-Gaulle

78105 Saint-Germain-en-Laye Cedex

Renseignements au 01 39 10 13 00

http://www.musee-
antiquitesnationales.fr/

Enfin, si tu as la chance d'aller en
vacances en Grèce, voici les musées,
les sites et les monuments à ne pas
manquer à Athènes :

• **Musée de l'Acropole.**

• **Musée archéologique national.**

• **Musée d'Art cycladique
et d'Art grec antique.**
• **Musée Benaki.**
• **L'Acropole et le Parthénon,
le sanctuaire de Delphes,
le mont Athos et le monastère de
Stavronikita, le palais de Knossos…
et bien sûr le site d'Olympie.**

Tu en garderas des souvenirs
inoubliables !

Bonne découverte !

_____

_____

_____

_____

_____

_____

_____

_____

_____

_____

_____

_____

_____

_____

_____

_____

_____

_____

_____

_____

_____

_____

_____

_____

_____

_____

_____

_____

_____

_____

_____

_____

_____

_____

_____

_____

_____

Index

Crédits iconographiques

p. I : L'Aurige de Delphes ou Heniokhos © Luisa Ricciarini/ Leemage ; p. II : Osselets en os © RMN/Hervé Lewandowski ; Le discobole de Myron © Costa/Leemage ; Assiette de céramique rhodienne © Luisa Ricciarini/Leemage ; p. III : Statuette de Zeus © RMN/Christa Begall ; Cratère noir à figures rouges en argile © Luisa Ricciarini/Leemage ; Casque à cornes de bronze © Luisa Ricciarini/Leemage ; Art mycénien : vases de céramique © Luisa Ricciarini/Leemage ; Art grec : Cratère d'Aristobothos © Luisa Ricciarini/Leemage ; p. IV : Lekythos (lecythe) en forme de sphinx © FineArtImages/Leemage ; Masque de théâtre d'acteur comique © Luisa Ricciarini Leemage ; Masque de théâtre satirique © Costa/Leemage ; Tête de l'Aphrodite de Cnide © RMN/Hervé Lewandowski ; Le Parthénon, temple d'Athéna © Costa/Leemage ; Image de fond : « Bataille entre les centaures et les lapithes » © Picture Desk/AFP.

p. 50 : © Bettmann/CORBIS ; p. 44, 89, 90, 94 : © The British Museum ; p. 56 : © CORBIS ; p. 17 (en bas) : © Araldo de Luca/ CORBIS ; p. 102 : © Duomo/CORBIS ; p. 98 : © Kit Houghton Photography/CORBIS ; p. 101 : © George H. H. Huey/CORBIS ; p. 57 : © Mimmo Jodice/CORBIS ; p. 17 (en haut) : © Wolfgang Kaehler/CORBIS ; p. 55 : © William Manning/CORBIS ; p. 53 : © Mary Evans Picture Library ; p. 42 : © The Metropolitan Museum of Art, Fletcher Fund, 1931. (31.11.10 detail) ; p. 38 : © The Metropolitan Museum of Art, Rogers Fund, 1944. (44.11. 2-3 detail) ; p. 59 : © The Metropolitan Museum of Art, Rogers Fund, 1916. (16.71) ; p. 54 : © Charles O'Rear/CORBIS ; p. 11 : © 2004 President and Fellows of Harvard College, Photographic Services, Courtesy of the Arthur M. Sackler Museum, Harvard University Art Museums, Gift of Mr. C. Ruxton Love, Jr ; p. 45, 58 : © Réunion des Musées Nationaux/Art Resource, NY ; p. 103 : © Reuters NewMedia Inc./CORBIS ; p. 9 : © Kevin Schafer/ CORBIS ; p. 40 : University of Pennsylvania Museum (neg. #S4-92640) ; p. 41 : University of Pennsylvania Museum (neg. #T4-389) ; p. 69 : University of Pennsylvania Museum (neg. #S5-23257) ; p. 81 : © Ruggero Vanni/CORBIS.

Tu as aimé ce livre ?
Tu peux en lire d'autres.

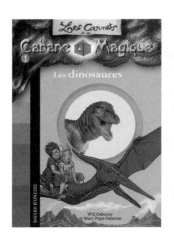

Les Carnets de la
Cabane Magique